W9-ATN-766

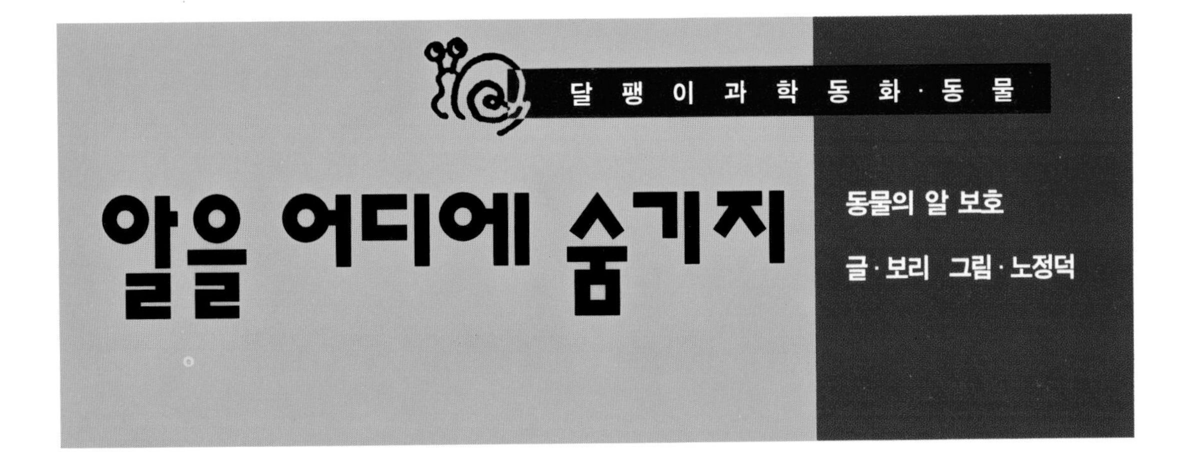
달 팽 이 과 학 동 화 · 동 물
알을 어디에 숨기지
동물의 알 보호
글 · 보리 그림 · 노정덕

웅진출판주식회사

엄마물자라가 알을 낳을 때가 되었어요.

"알을 어디에 낳아야 좋을까요?"

엄마물자라가 걱정스럽게 물었어요.

"글쎄요……."

아빠물자라는 고개를 갸웃거렸어요.

"우선 내 등에 낳아요. 좋은 곳을 찾아볼게요."

엄마물자라는 아빠물자라 등에 알을 낳았어요.

아빠물자라는 알들을 업고 헤엄쳐다녔어요.

"어어, 저게 뭐지?"

물풀 사이에 긴 알주머니가 보였어요.

"아, 두꺼비알이구나. 나도 물풀에 알을 숨겨야지."

그 때 붕어 한 마리가 두리번거리면서 다가왔어요.

"야, 맛있겠다."

붕어는 두꺼비알을 꿀꺽 삼켜 버렸어요.

아빠물자라는 깜짝 놀랐어요.

"아이쿠, 여기는 안 되겠구나."

아빠물자라는 물 밖으로 나갔어요.

"어어, 저게 뭐지?"

풀잎에 뭉쳐 있는 하얀 거품집을 보았어요.

아빠물자라는 살금살금 다가갔어요.

“쉿, 저리 가.”

사마귀가 날카로운 앞발을 들고 튀어나왔어요.

“건드리지 마. 방금 내가 만든 알집이야.”

사마귀가 눈을 부릅뜨고 말했어요.

“그래?”

아빠물자라는 입을 딱 벌렸어요.

“나도 거품집을 만들 수 있으면 좋겠다.”

아빠물자라는 사마귀가 부러웠어요.

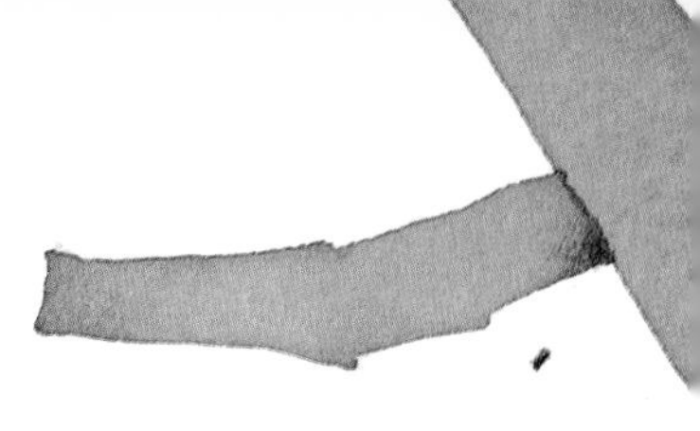

“어어, 저게 뭐지?”

거미줄에 매달린 공을 보았어요.

“이건 내 알이야. 꽁무니에서 뽑은 실로 감싸 놓은 거야.”

거미가 자랑스럽게 말했어요.

‘나도 거미줄을 만들 수 있으면 좋겠다.’

아빠물자라는 거미도 부러웠어요.

"어어, 저게 뭐지?"

나뭇잎에 노란 알들이 붙어 있었어요.

"내 동생들이에요. 나처럼 알에서 곧 깨어날 거예요."

나방 애벌레가 나뭇잎을 갉아 먹으면서 말했어요.

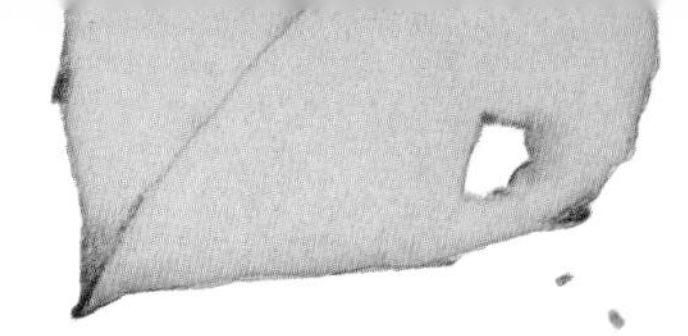

"아저씨는 왜 알을 업고 다녀요?"

나방 애벌레가 물었어요.

"응, 알을 숨길 곳을 찾고 있어."

"그럼 우리처럼 나뭇잎에 숨기면 되잖아요."

"아아, 그러면 되겠구나."

아빠물자라는 나무에 기어올라갔어요.

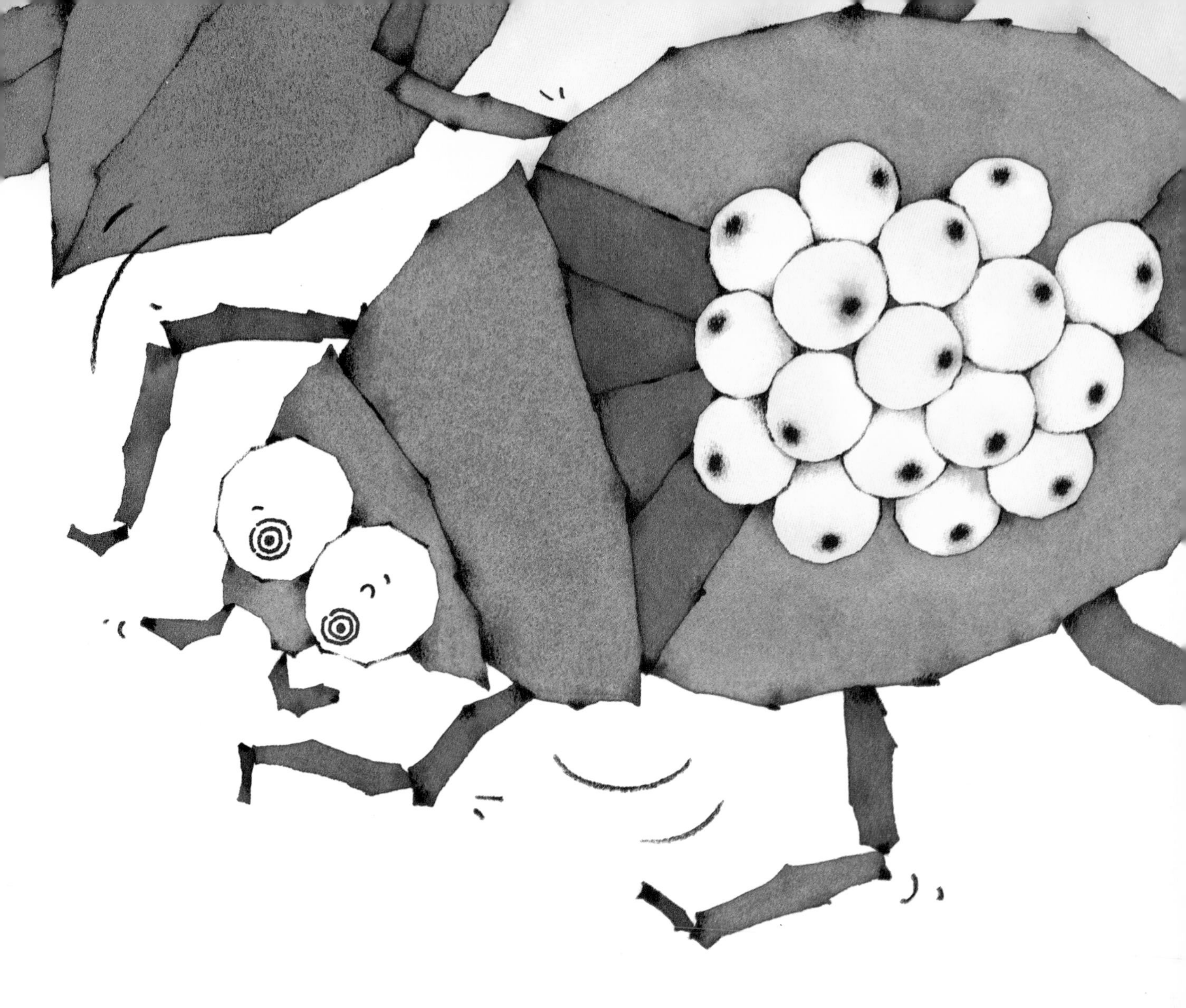

‘붕붕붕.’

말벌이 날아왔어요.

말벌이 나방 애벌레에게 침을 놓았어요.

“아이쿠.”

나방 애벌레는 꼼짝도 못 했어요.

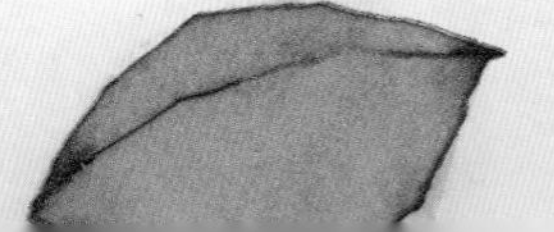

"왜 애벌레에게 침을 쏘았니?"

아빠물자라가 놀라서 물었어요.

"꼼짝 못 해야 우리 집으로 데려가지."

"왜 애벌레를 데려가?"

"우리는 살아 있는 벌레 몸에 알을 낳아.

새끼들은 벌레를 먹고 자란단다."

말벌은 애벌레를 움켜쥐고 날아갔어요.

'에이, 나무도 위험하구나.'

아빠물자라는 한숨을 폭 쉬었어요.

‘영차영차.’

쇠똥구리가 쇠똥을 뭉치고 있었어요.

“똥을 왜 뭉치니?”

아빠물자라가 다가가서 물었어요.

“응, 우리는 똥 속에다 알을 낳거든.”

“똥 속에 알을 낳는다고?”

“그래, 새끼들이 깨어나면 똥을 먹고 자란단다.”

쇠똥구리가 말했어요.

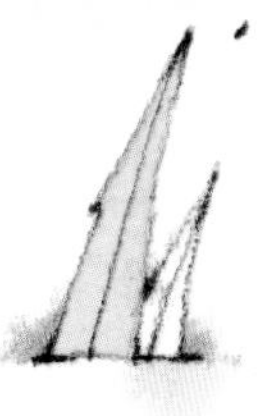

“너는 왜 알을 업고 다니니?”

쇠똥구리가 물었어요.

“응, 알을 숨길 곳을 찾고 있어.”

아빠물자라가 말했어요.

“그럼 우리처럼 똥 속에다 숨기면 되잖아.”

쇠똥구리가 웃으면서 말했어요.

“그럴까? 아냐, 우리 새끼들은 똥을 안 먹으니까 안 돼.”

아빠물자라는 고개를 저었어요.

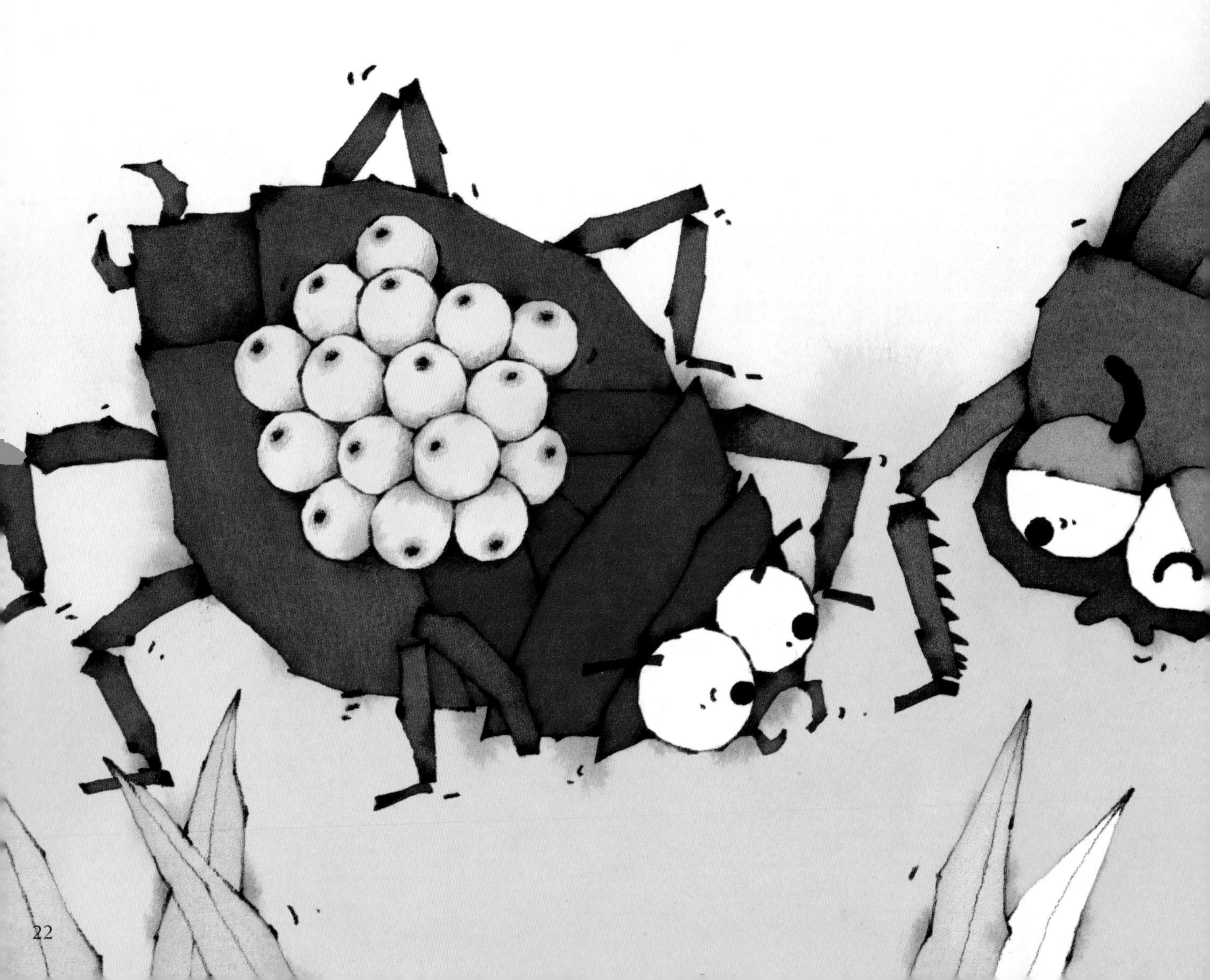

"에이, 할 수 없다. 내가 업고 다니는 게 제일 좋겠다."

아빠물자라는 집으로 돌아왔어요.

아빠물자라는 새끼들이 깨어날 때까지 업고 다녔어요.

"아빠, 아빠."

드디어 새끼들이 깨어났어요.

아빠물자라는 너무너무 기뻤어요.

그래서 다 자란 새끼들도 가끔씩 업어 주었대요.

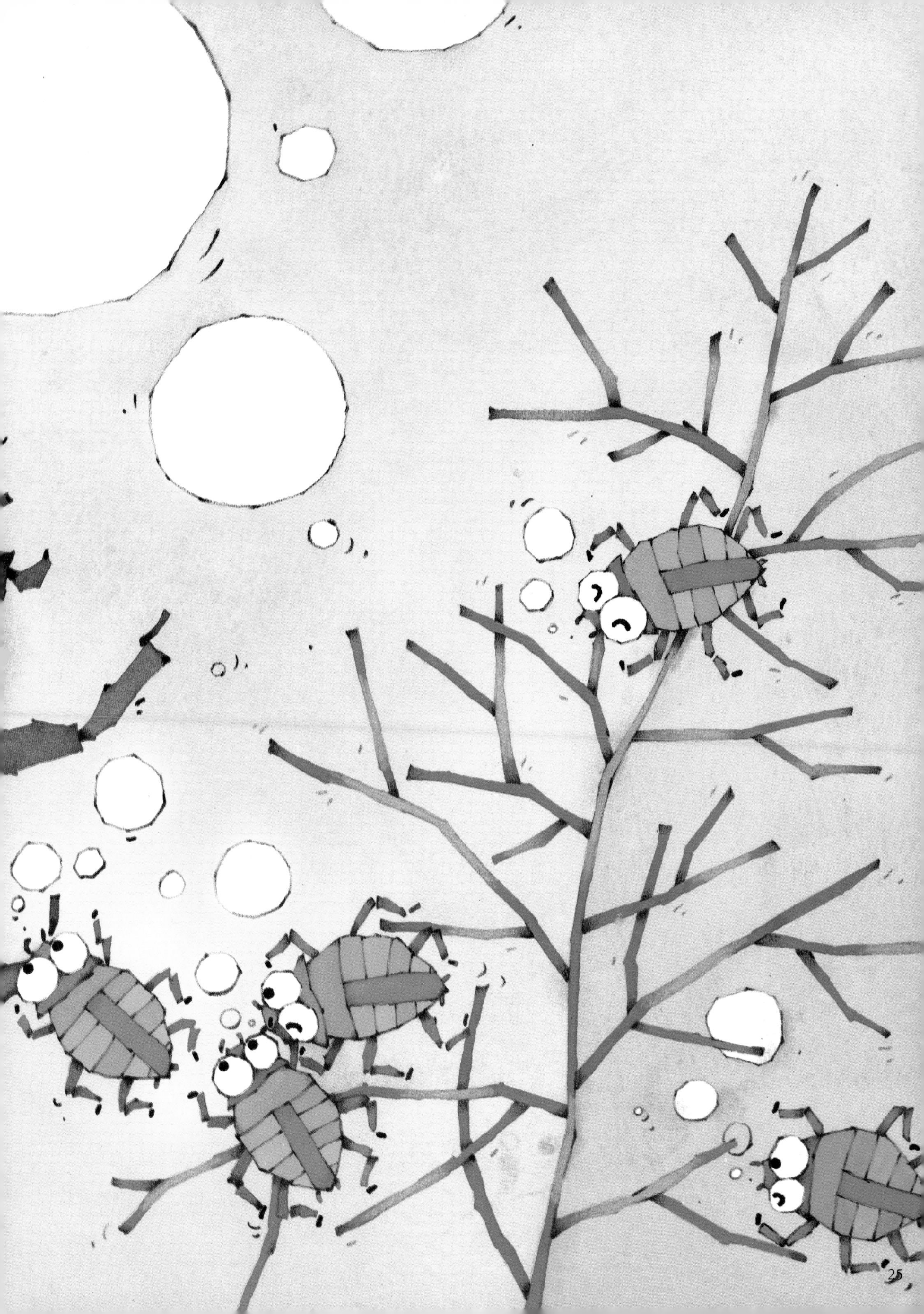

**동물의 알낳기**

# 동물들은 어디에 알을 낳을까요?

### 알 낳기에 좋은 곳은 어디일까요?

동물들은 저마다 알을 낳는 곳이 달라요. 주위에 먹이는 많은지, 적에게 들키기 쉬운 곳은 아닌지, 알이 햇볕에 마르지나 않을지 잘 살펴서 알맞은 곳을 찾지요.

### 두꺼비는 어디에 알을 낳을까요?

두꺼비나 개구리와 같은 양서류들은 물속에다 알을 낳아요. 두꺼비나 개구리알은 껍질이 말랑말랑해서 물기가 없으면 말라 버리니까요. 또 청개구리는 알이 물에 떠내려가지 말라고 물풀에다 알을 낳아요. 두꺼비는 끈적끈적한 알끈에 알을 싸서 낳지요.

### 나비는 어디에 알을 낳을까요?

나비의 애벌레들은 알에서 깨어나도 먹이를 찾으러 멀리 갈 수가 없어요. 그래서 나비는 애벌레가 먹이를 잘 찾을 수 있는 곳에다 알을 낳아요. 애벌레가 잘 먹는 나뭇잎이나 채소잎에 알을 낳지요.

### 물자라는 어디에 알을 낳을까요?

물자라처럼 알을 잘 지키는 곤충도 드물어요. 물자라는 애벌레가 알에서 깨어나 때까지 수컷이 알을 업고 다니거든요. 컷이 수컷 등에다 알을 낳으면 수컷이 을 돌보지요. 알을 업고 다니면 다른 동 들이 쉽게 알을 못 잡아먹어요. 가끔씩 밖으로 나와서 공기도 쐬어 주고 햇볕 쪼여 준답니다. 그러면 애벌레가 빨리 어나니까요.

### 사마귀는 어디에 알을 낳을까요?

사마귀는 알을 낳을 때, 작은 나뭇가 에 몸을 거꾸로 세우고 꽁무니로 끈끈 즙을 내보내요. 이 즙을 마구 문질러서 품을 일으키지요. 그리고 거품이 마르 전에 그 속에다 알을 낳아요. 무당거미 튼튼한 알집을 만들어요. 무당거미는 알

낳고 나면 알 덩어리를 거미줄로 칭칭 감
아서 알집을 만들지요. 그러면 다른 벌레
들이 함부로 못 덤벼들어요. 거미의 알은
거미줄에 매달린 알집 속에서 겨울을 나지
요. 이렇게 거품이나 거미줄로 만든 알집
은 아주 질기고 튼튼해서 찬 서리나 눈보
라에도 끄떡없답니다.

**기생말벌은 어디에 알을 낳을까요?**

기생말벌은 배추벌레와 같은 다른 곤충
의 애벌레 몸 속에다 알을 낳지요. 그러면
알에서 깨어난 기생말벌의 애벌레들이 배
추벌레를 갉아먹으면서 자란답니다. 기생
말벌의 애벌레들이 다 자라서 배추벌레의
몸을 뚫고 나오면 배추벌레는 죽어 버리지
요.

**쇠똥구리는 어디에 알을 낳을까요?**

쇠똥구리는 어른벌레나 애벌레나 모두
똥을 먹고 살지요. 그래서 알도 똥 속에다
낳아요. 땅에 구멍을 파서 동그랗게 빚은
똥을 집어 넣고 그 속에다 알을 낳아요. 똥
속에 있는 알이 마르지 않도록 똥 바깥쪽
을 단단하게 다져 둔답니다. 또 알에서 깨
어난 애벌레가 움직일 수 있게 똥 속에 방
도 만들어 두지요.

이렇게 동물들이 알을 낳는 곳이나 알을
지키는 방법은 저마다 달라요. 하지만 알
이 잘 살아남을 수 있도록 애쓰는 것은 어
느 동물이나 마찬가지예요.

나방 애벌레

거미

쇠똥구리

기생말벌

**그린이 · 노정덕**

노정덕 님은 1962년 서울에서 태어났습니다.
서울대학교에서 시각디자인을 전공했습니다.
그 동안 올챙이 그림책 가운데에서 '심술꾸러기 호랑이',
'모기와 심술꾸러기 사자' 등 여러 권을 그렸습니다.
또 '무지개 그림동화'도 그렸습니다.

**글쓴이 · 보리**

보리는 좋은 책을 만들려는 사람들이
모여서 이룬 공동체입니다.
보리는 아이들을 위한 책이나
교육에 관련된 책들을 기획하고, 편집합니다.
그 동안 지은 책으로는
웅진출판주식회사에서 펴낸
올챙이 그림책 60권이 있습니다.

## 달팽이 과학동화 6 알을 어디에 숨기지

펴낸이 · 백석기/펴낸데 · 웅진출판주식회사 서울특별시 종로구 인의동 112-1/편집국 편집개발부 · 762-9358,766-6563/출판등록 · 1980.3.29 제 1-352/분해제판 · (주)그래픽아트/박은곳 · (주)고려서적 박은날 · 1996년 11월 9일 초판 14쇄/펴낸날 · 1996년 11월 20일 초판 14쇄 편집기획 · 윤구병/글 · 보리/그림 · 노정덕/세밀화 · 이태수/편집책임 · 차광주/편집 · 강순옥, 김마리, 김용란, 심조원, 유문숙, 이춘환/미술 · 이효재/값5,000원 ©1994 보리

이 책의 저작권은 도서출판 보리에 있고, 출판권은 웅진출판주식회사에 있습니다. 이 책을 무단 복제하거나 다른 용도에 쓸 수 없습니다.

ISBN 89-01-00928-5
ISBN 89-01-00922-6(세트)